Kuroshitsuji
Toboso Yana

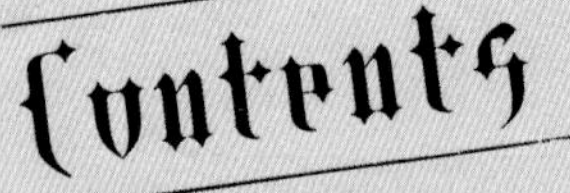

Contents

第 15 話
In the morning：その執事、居候

わ——い
雪だあ——っ
石で殺傷能力を上げるゼィ！

冬——それは英国では厚く重い雲に覆われた灰色の季節
切り裂きジャック騒動も収まりロンドンは落ち着きを取り戻していた

ざわ
ざわ
そう思ったのも束の間——

※インド料理を出すパブ

ポートマンスクエア付近に軒を連ねた
※ヒンドスターニー・コーヒーハウスに
たむろするインド帰りの英国人が
襲われ次々と身ぐるみを剥がされ
天井から逆さ吊りにされるという
奇妙な事件が起こる

その後もロンドン中で
インドから帰国した
貴族や軍人が同様の被害に
見舞われた

その全ての被害者に同じ紙が
貼られており——

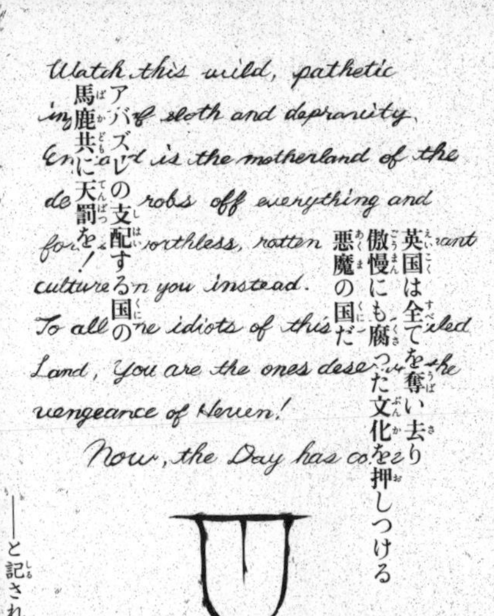
こいつは頭のいかれた
堕落と怠惰の申し子である
英国は全てを奪い去り
傲慢にも腐った文化を押しつける
悪魔の国だ
アバズレの支配する国の
馬鹿共に天罰を!
——と記されていた

ぐ

またた!
これで20件目だぞ!!
ぐしゃ!
ロンドン警視庁・警視総監
ランドル卿

まだ犯人を
捕まえられんのか!
アバーライン!!
申し訳
ございません!!
ビクッ
ロンドン警視庁・警部
フレッド・アバーライン

切り裂きジャックも
捕まえられず
・・・あんなガキに手柄を
横取りされて…
ガキで
悪かったな

WATSON CAFE

ファントムハイヴ伯爵！

君！どこからここへ入った！

ファントムハイヴ伯爵…何をしに来た！

？

はっ

決まってる

モタモタしてる猟犬の尻拭いをしに来てやったんだ

ただの追い剥ぎなら僕が出てくるまでもないが
王室が侮辱され続けたのでは黙っているわけにもいかなくてな
ふん
犯人も〝堕落と怠惰の申し子〟とはなかなか的確な表現だ
僕もインド成金はいなくなった方がこの国も多少はマシになると思うがね
イギリス領インド帝国――
Tibet
Nepal
Oudh
Bengal
United Provinces
Orissa
Nizam's Dominions
Madras
Mysore
Ceylon
当時 イギリスの植民地であったインドには大量にイギリス人が住みついておりました

本国では豪勢な生活が
送れないような富裕層の
3・4男でも
インドでは「貴族」のような
優雅な暮らしが送れたのです

インドから帰国した者は
「アングロ・インディアン」
と呼ばれ
インドでの贅沢で怠惰な
生活が抜け切らない者も多く
「インド成金」とも
呼ばれていました

たとえインドで
下らない遊びに耽り
浪費にかまけた腑抜け
だとしても多くはこの
大英帝国の上流階級だ
守らないわけには
いかない!
WATSO

上流階級ね…
下らないな
もく もく
それにしても
このマークは…?

我ら英国人と女王陛下を
馬鹿にしておるのだ!
ふざけおって…!!
ぐしゃっ
インド帰りばかり狙われると
いうことは犯人は下劣な
インド人に違いない
野蛮人め!!
はーん
それで僕が
呼ばれたわけか
ランドル総監
おちついて下さい…

密航したインド人の
大半はイーストエンドを
根城にしている
市警もイーストエンドの
暗黒街には手を焼いて
いるとみえる
密航者の正確な
数もルートも
特定するのが難しいん
だろう?
ぐっ…

では僕は僕で
動かさせてもらう
さっさと屋敷に
戻りたいんでね
セバスチャン
資料は覚えたな?
は

行くぞ
セバスチャン
はい
ありがとうございます

それが
「ファントムハイヴ」

ファントムハイヴ伯爵家が
代々長を務め

Potentia Regere

「女王の番犬」や「悪の貴族」と
呼ばれている

何故「悪」なんです？
王室に仕えているなら
警察と同じでは
違う
あれはそんな生易しい
ものではない

どこの世界にも
「表の世界」があれば
「裏の世界」もある
大英帝国も
例外ではない

ファントムハイヴは英国王室の
悪行の数々を隠蔽し
王室に害なす存在があれば
どんな汚い手を使ってもそれを消してきた
闇の機関
本来ならあってはならない王室の「影」

イーストエンドの
暗黒街
この国に集う
各国裏社会の
者達…
それらが決して表社会へ
漏れ出さぬように
この国の裏社会全てを
支配し管理しその強大な力を
使役する

それが
「ファントムハイヴ伯爵家」

つまり警察とは逆――

「悪」の力を使い女王の命を完遂するということですか…

あんな子供が？

子供なんていうものじゃない
あれは

悪魔だ

坊ちゃん
着きましたよ

——ここで間違いないな？
ええ
足元にお気をつけて
ガチャ
むあっ
！
酷い匂いだ…
ゴホッ
…とうとうここが見つかってしまったようだね
伯爵
こんな形で君と対峙しているなんて不思議だよ
だけど我は
いつかこんな日が来るんじゃないかと思っていたんだ

どんな日だ
やっ
いらっしゃい伯爵
わらっ
久しぶり!
元気だったかい?
あ
こないだ誕生日だったんだって?
おめでとー
そんなことはどうでもいい!
何テレてるんですか
お前に一つ聞きたいことがある
ああ

伯爵が阿片窟くんだりまでおでましになるってことは
アレだろ？
もう話が回ってきてるのか耳が早いな
お兄さん吸ってく？
私は結構です
例の事件について調べてる
東洋人ならこの辺りに縄張りを敷いてるお前に聞くのが一番早い
中国貿易会社「崑崙」英国支店長
…いや
上海マフィア「青幇」幹部
劉

その呼び方は
あまり好きじゃ
ないんだけどなあ
堅苦しくてさ
ねぇ藍猫
はあ。

東洋人街の管理は
お前に任せてある
阿片をやめて
話を聞け!
この街の出入りの
人数は把握して
いるだろうな?

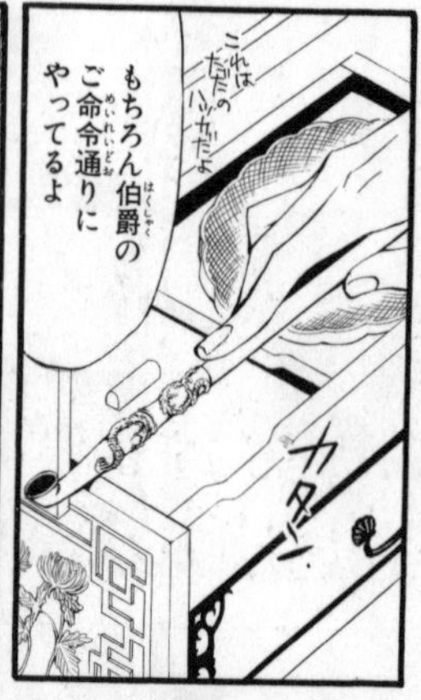
これはただのハッカだよ
もちろん伯爵の
ご命令通りに
やってるよ
カタン

この国の裏社会で
〝商売〟させてもらうための
ショバ代だからね

じゃあ
それより先に
我も伯爵に
一つだけ聞きたい
ことがある

?

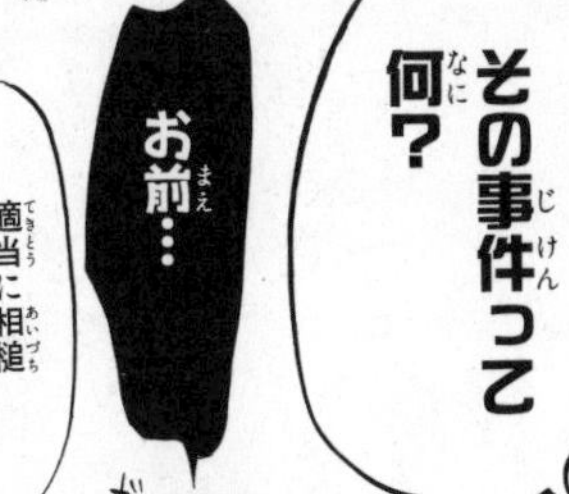
その事件って何？
まずそこからか
お前…
適当に相槌打ってましたね
確実に。
ガクゥ…

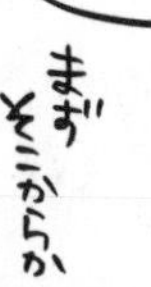

――なるほどねぇ

そのイタズラッ子を捕まえたいわけだ
まだ死人は出ていないが上流階級や軍人ばかりが狙われるのでな

下々の者に示しがつかんってことか
伯爵もご苦労なことだ
下らん

ところで大分歩いてますがインド人達が根城にしている宿はどのあたりで？
キョロ

ん？

あっごめん話に夢中で迷ったっぽい！
はっはっはっ
ウッカリさん★
お前は～～～ッ

ドッ
とりあえず一度戻って
ゴ
ンッ
ギ
ヌ
ロ
す…
イッテェー!!
肋骨にヒビが入ったぁ――ッ
なっ
誰か来てくれッ
わぁ
わぁ
大丈夫か!?
どうした!
こりゃひでえ!!
おや

ズラッ

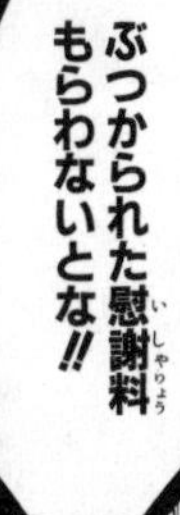

身ぐるみ一式
置いてきな!!

如何しますか?
どうもしない
早く片付けろ
御意
スッ…
それになぁ
ここいらの
仲間は皆
貴族に恨みが
あんだよ
俺達を英国まで
連れて来たクセに
モノみたいに捨てやがって!
お前ら英国人は
全員身勝手だ!!
そうだ!
そうだ!!
そうだ!!

お前らのせいで
俺達はこんな
ドブ鼠のみたいな
みじめな暮らしを
するハメになった
そうだ！
そうだ！
そうだ！
お前達が俺達の国を
土足で荒らしたんだ！
そうだ！
お前達も略奪される
屈辱を味わえ！
味わえ！
そうだ！
そうだ!!
そんなことより
お前達に尋ねたい
ことがある
そうだ!!
そうだ！
まずは尋ねたい
ことがある!!
そうだ!!
そうだ!!
役立ったら褒美に
美味いものを
食わせてやろう
そうだ!!
そうだ
ウマイものだ!!!
そうだ!!
魚がいい!!
ちょうど腹ペコ
だったんだ!!
いつも
だけど

って
違ーーうッ!!!
騒々しいぞお前ら
人捜しをしているんだが
こういうインド人を見かけなかったか?
ポカーー
んだァ!?
テメエ邪魔すんじゃねえよ
テメエとは無礼な
俺が声をかけてやってるんだぞ
…ん?

だったら
なんだ

ならばこの戦
我が同胞に加勢
しよう

アグニ！

スッ…
はい
奴らを倒せ！
御意のままに
この神に授かりし右手…
主のために振るいましょう
カッ

バッ
ビリリッ…
ガッ
な…
うわっ!?

ドッ
ドドドド
速い！
俺達も
いるぜぇ

あっ
ギッ
すまない同胞！
後で手当てするから！
待ち…

ヒ
ユッ
ドッ
ドッ
ドドッ
ス
ドッ
ドドド
ザッ

ザ
先程から何度も急所を突いている
普通なら腕が麻痺しているはずだ
お前何故動ける？
はっ
おい！
僕らはただココを通ったのをインド人に絡まれただけだ！
おろせ！
インド人は英国人とみれば見境いなく襲う野蛮人なのか!?
じたばた
ピクッ
なに？

お前達！
理由もなくそこのチビ共を襲ったのか？
あ？
理由って…
それはいかん！
理由なき戦いはしかけた方が愚かなのだ
アグニ！
今回は我が同胞達が悪い！
チビ共の味方をしろ！
はっ
ア
あっさり。
ん
？
ぽかーん
終わりましたソーマ様！
よし！
どーん。

はははあ…
それにチビ
子供がこんな所をウロウロしてると危ないぞ
ばすっ
!?
では俺は人捜しの途中だからもう行く
ではな
ぽかん…
ソーマ様良い事をなさいましたね！
神の子として当然だ

やー
すごかったね
あの二人
今まで
何をしてたんだ
お前は
やだな――
機を見て助けに
入ろうとしてたん
だよ？
イギリスは
道が入り組み
すぎている!!
次は左へ
参りましょう
それにしても
あの二人
一体何者だ？
ここいらの住人じゃ
ないのは確かだね
やたら身なりも
よかったし
英語の発音キレイだし
何はともあれ
まずはこの方達を
市警へ届けるのが
最初の仕事に
なりそうですね
きゅ～っ

くたびれ損だった…
ゲッソリ
雪まで降り出すし…
あの中に犯人がいるかもしれません
取り調べ中。
ランドル様からのご連絡をお待ちしましょう
ったく！こんな下らん事件でいちいちロンドンに呼び出されていてはキリがない!!
はは
女王に害がおよぶ可能性があれば吠えなきゃならない
番犬の辛いトコだね伯爵
我々は君と遊べるから歓迎だけどね—
ヒョコ
坊ちゃん！
ですだ!!
お帰りなさーい!!

今回は使用人も連れて来たのかい？

？

ええ
屋敷に置いておくと後々厄介ですので

ふーーん？

さて！
寒い中お疲れ様でございました

すぐにお茶に致しましょう

はぁ

そうだな

イギリス式よりチャイの方が良いな

そうだな

え？

なっ
我が城より大分せまいな
なっ
なんでお前がココに!?
何故ってさっき知り合っただろう
もう忘れたのか?
さらっと
知り合ったって…
なんだ
それに助けてもやった
助…!?
どこが!?
なんだ
インドでは恩人は家に招いてもてなすのが常識だ
"家宝を売ってでも客人をもてなせ"という言葉もある
おいベッドはどこだ?
なんでベッドなんだい?
我が国では客人はベッドに通して団欒するものだぞ
キョロ
キョロ
王ー子ー!
ソーーマ様ーー!!こちらにありましたよー!!
うむ
おいッ!!
人の話を聞けッ!!

まぁいい
多少手狭ではあるが
しばらく世話になるとするか
とこ
とこ
ちょっと待て!!
何故僕がお前らの
面倒を見なきゃ
ならないんだ!?
おぉ
こちらです
他に泊まる宿も
考えていないし
ざふんっ
〜〜っ
大体っ
お前は何者
なんだ!
ごろ
ごろ
ごろ
俺か?
俺は
王子だ
英国人は寒空の下
恩人を放り出すのが
一般的なのか?
王子…?

このお方は
ベンガル藩王国
国王は第26子
ソーマ・アスマン・
カダール王子に
あらせられます
しばらく世話になるぞ
チビ
では王子！
お近づきの印に
アグニめがチャイを
淹れて参ります！
台所お借りします！
寒い日には
しょうがタップリの
チャイが一番です
しょうが
あっ
お待ち下さい
お茶なら私が…
すごーいっ
王子様なんです
かあ——っ
ズイ

お…王子様…
ポッ
初めて見たぜ
生の王子様
なんてよ
許す
近くへ寄れ
ベンガルなんとか
王国ってどんな
トコですか──っ？
カーリー女神と
ガンジス川の恩恵を
受ける聖なる国だ
聖なる国の
王子様です
だか
あれかインドの
東のほうか
がや
がや
やあ伯爵
にぎやかな滞在に
なりそうだねえ
ははは
トラがいるぜ
トラが！
食ったこと
ねーけど
がや
がや
……──っ
出てけ──っ

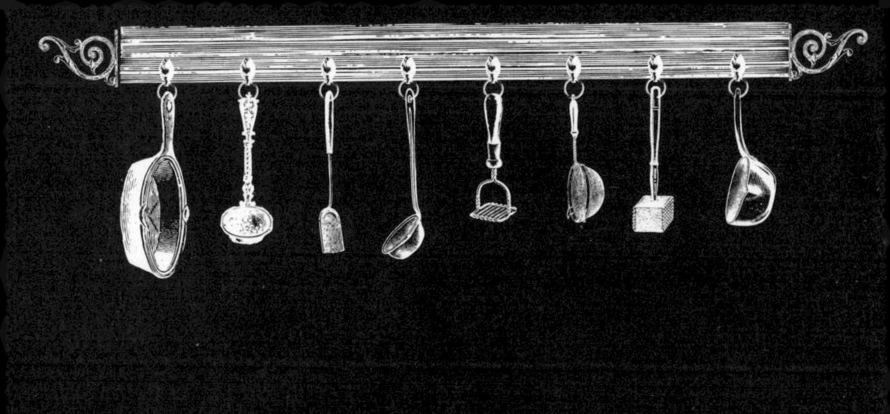

黒執事
クロシツジ

第16話
At noon：その執事、異邦

FULL WEIGHT
ROYAL
ROYAL
POWDER

LIPTONS
CEYLON
GREEN TEA
DIRECT FROM THE GARDENS

BLUE LABEL
SOUP

HUILE D'OLIVE

シエル様（さま）
お目覚め（めざ）の時間（じかん）ですよ
ん…？
もぞ…
シエル…
様（さま）？
おはようございます！
ぬっ
!!?

ナマステジー
シエル様
なっ…
なんでお前が僕の部屋に
コンコンッ
ガチャッ
失礼します
朝食の準備ができておりますよ
坊…
さあ早くしないと冷めてしまいます！
早く参りましょう！
ギャーギャー
いいから降ろせえっ
ちょっと待て！なんなんだ一体
おや朝からにぎやかだねぇ
ヒョコッ
ポカン
ぎゅわー

セバスチャンさーーん!!
バタ
バタ
バタ

三人共お客様の前ですよ
オヨョー
ゼーハー
ゼーハー
どうしました?また何か…

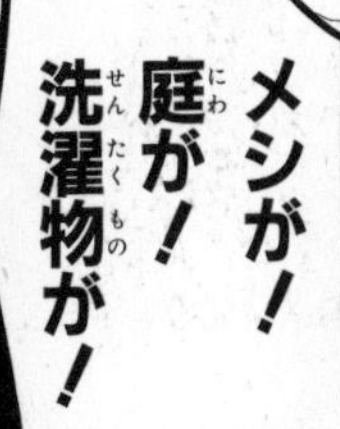

お
おかしいんです
だ
ですだ
メシが!
庭が!
洗濯物が!

おろせええぇ
さー
参りましょう!
おかしい…?

ピッ
ミシッ
ほっほっほっ

シャラーン
ほっほっほっ

ジャーン
ほっほっほっ

王子はともかく
私は
一介の執事ですから

セバスチャン殿のお手伝いをしなくてはと思いまして

パァァ…
後光
アグニさん…
じーん

チラッ

貴方がたは土下座でもしてアグニさんの爪の垢でも譲って頂いたらどうです？

にっこり。

少しはマシになるかもしれませんよ

お前らはいつまでいる気だ？
本日の朝食
えびカリーと
しょうが入りフレンチトースト
用事が済んだら出ていく
もっさ
もっさ
イライラ
それは
例の人捜しってヤツかい？
だからなんでお前までココに泊まっ
おはは
いいじゃない
そうだ
女を捜してる
ごそごそ
ぐ
この女だ
ん

名をミーナといって
俺の宮殿で召使いをしていた
これは…
俺が描いた
がふ
がふ
本人を見ればすぐわかる程良く描けた!美人だろう

セバスチャンこれで捜せるか…?
ずーん
私でもこれはさすがに…
努力しましょう

うーん
我もこんな美人にはお目にかかったことないなぁ~~~
ははっ

当然だ!俺の城でも一番の美人だったんだからな
げっふ。
ごちそうさまでした。

…で
その女は何故英国に

△※〇□〜
〇×□〜
☆△〇×
∞※△
ほにゃら
ほにゃら
何事かの念仏（シエルたちにはこう聞こえる）
聞けえっ!!!

なんなんだ突然
どこから出したんだあの像は！
お祈りしてるみたいだけどえらいシュールなご神体だねぇ
ご神体といいますか…
私には生首を持って生首のネックレスをかけ男性の腹部の上で踊り狂っている女性の像
…にしか見えないのですが…
そのままだね

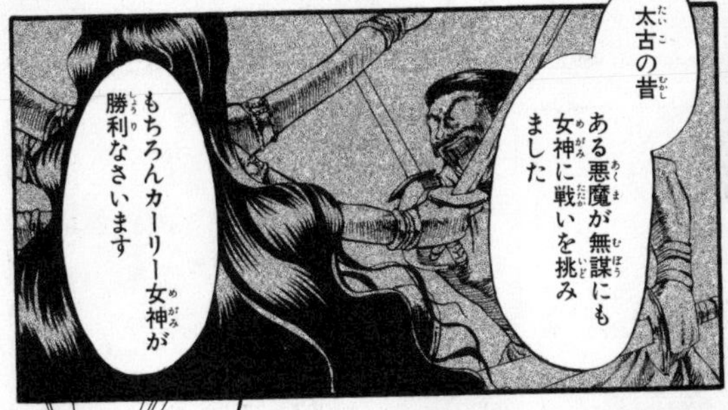

しかしその後も破壊衝動は収まらず

女神は破壊と殺戮にあけくれます

人を殺し続けたり 生首でネックレスを作ったり 血を飲み干したり…

悪魔被害より女神被害の方がスゴそうだねぇ

そりゃすごいや

神々もカーリー女神を止めることができず万策尽き地上が滅びようとした…

その時!!

地上を守るため
夫であるシヴァ神が
カーリー女神のその足元に
横たわったのです
はーうあー
ああ!
だから踏まれて
いるんですか
てっきり
夫婦ゲンカ
かと!
夫は随分
腰が重いな
それはもう
手遅れたんじゃないのか?
いろいろと

不浄の足で夫を
踏んでしまったことにより
カーリー女神は我に返り
地上に平和が戻りました
やだっ
あなた
ごめんなさい☆
はっはっはっ
おてんばさんめ♡

つまりカーリー女神は
死闘の末悪魔を倒した
偉大な女神なのです

その証拠に倒した
悪魔の生首を持っています
ギェー

…だそうだ
そんなにお強い方が
いるとは…
インドに行く時は
気を付けなければ
いけませんね
?
?

ぱむっ
さて祈りも済んだし
出かけるかチビ！
がっし！
道案内しろ
なんで僕が!?
大体僕はチビじゃなくてシエルという名前が…
ズリ
ズリ
ズリ
じゃあシエルお前に道案内を申しつける
来い。
申し訳ありません
坊ちゃんは本日お勉強とお仕事のご予定が詰まっております
フッ

というわけで僕は忙しい

ちぇー

ちょっとホッ

人捜しなら勝手にやれ

――さて

AM10:00
ヴァイオリンのお時間

ロンドン滞在中は家庭教師のマダム達に代わり

私が家庭教師を務めさせて頂きます

←「何事も形から」家庭教師モード

※J.S.バッハ「無伴奏ヴァイオリンのためのパルティータ第2番ニ短調」の第5曲の通称

弾けるわけ…
ワッ
!
難しいものからこなしていけば自信も付くというものです
フフフ
ここでは教師がルールですよ
基本的に私はスパルタですから
にっこり。
私の教育方針に何か問題でも?
……
ぐっ
よろしい
さあ弓を構えて
ニ短調に大切なのは厳粛さや敬虔さを音色で表現する事です
そう上手ですよ

べん
べん
音色の表現を
感情豊かに
べん
べん

時には怒りを
表現した音で
ズンドコ
ズンドコ
そう…
ずん

って
何をしてるんです？
べん
べん
べん
ん？
ズンドコ
ズンドコ

今日1日くらい
シエルに付き合うのも
いいかと思ってな
俺も弦楽器は
得意だし

出てけッ
ペッ
次は絵画のお時間です
AM 11：00
絵画のお時間
しっかりとバランスを見て奥行きを出して下さい
なんだ?こんなビンなんか描いててもつまらん!
絵画といえば裸婦だろう
というわけで女!
ビシィッ
脱げ!
あ、脱がす?
ワタシ心に決めた人の前でしか脱がねぇですだ

出てけッ!!
ぺっ
ヨークシャーの工場から クリスマス限定品の サンプルが届いております
PM 1:00 ファントム社の仕事
ん
作り直させただけあって 手触りがいいな
もっふ
続いて本社より 来年度の商品企画が 届いております
新商品の クリスマスクラッカーは ハロッズでの売り上げも 順調のようです
ぱんっ
とはいえ 客はシビアだ 次々と新しい物を 提供していかないとな
そんな お前のために 俺が新しい 企画を考えて やったぞ!!
ばっ
おっ?
ざ
見ろ!!
企画書

インドの神ガネーシャをモデルにした象の人形で
なんと
作・ソーマ

鼻が
作・ソーマ

動く！
さっ
作・ソーマ
UP

出てけ!!!
ポーーン

なーー
いつになったら終わるんだ？

なーなー
それは何を
してるんだ？
なーーってばーー
なー
なー
なー
ばー
ああああ
うるさーい!!!
気が散る
だろうがあッ!!
イライラ
イライラ
PM 2:00
フェンシングのお時間
なんだ
そんなに怒らなくても
いいだろう
ブー
もういい
わかった
ばっ

そこまで僕に構ってほしいなら相手してやる
ヒュッ
ぱしっ

俺は武術は※カラリパヤットか※シランバムしかしたことがないんだが
しゅるんっ
まぁいいか

※インド伝統武術

要はコレでお前に勝てば
俺と遊ぶんだな?

・・・勝てればな
負けたら僕の邪魔をせず大人しくしていろ!

3分で
5本勝負だ
多く点を
取った方が
勝ち
いいな
では
始め！
ダッ
もらった!!
ダ

ぐいーん
!!?
曲がった!?
足はフルーレの有効面じゃない
残念だったな!!
わっ
ビッ
卑怯者!
俺はルールを知らないんだぞ!
有効面とは何だ!!?

ルールを知らない
お前が悪い
ふふん
勝負は勝負だ
悪人めー
ぐっ
くっ
ッ
ニィ
はっ
くにゃっ
カン
うがあああ
ぐぐぐっ
この剣っ
くにゃくにゃ曲がって
使いづらい!!
ブン
ブン
ハラ
ハラ
おや
おや

フェンシングは前に突くのが基本
剣を横に薙ぐように振ったのでは
はっ!!
ブン
胴体がガラ空きだ!!
ばっ
王子!!
危ない!!

ッ!?
!!
がくん
カーンッ

はっ!!
シ…シエル様!!
申し訳ありません!
あわわわわわわ
王子が負けてしまうと思ったら体が勝手に…!!
ビリ
大丈夫ですか?
ビリ…

あっはっは!
アグニ!よく主の俺を守った
誉めてつかわす!
アグニは俺の執事で俺のものだ!
つまりは俺の勝ちだ!!

そっ…
さ——
遊んでもらうぞ!
おやおや

ヒュッ

これは君が
ご主人様の仇を
とらないとね

はっ

執事君

なんだやるのか？

シエルの執事よ

全く…
ルールを知らない素人に
意地悪するからですよ

なっ

ですが

はぁ.

主人を傷つけられたとあっては
ファントムハイヴ家執事としては黙っている訳にはいきませんね
スッ
何より予定を10分も押してますし
ボソ
お前そっちが本音だろう

アグニ！
カーリー女神の名にかけて絶対に負けるな！

ザッ
セバスチャン
命令だ
あのガキを黙らせろ!

御意のままに（ジョー・アーギャー）
御意（イエス）
ご主人様（マイロード）

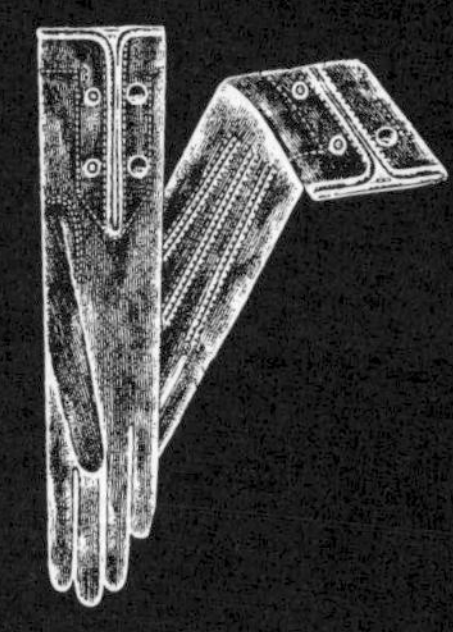

黒執事
クロシツジ

第17話
In the afternoon：その執事、拮抗

御意のままに

御意 ご主人様

では

お手柔らかに

ス

ツ

参ります!!

ハッ

キン
ソ

ガッ

キン

ギィン

ギ

やれやれ

剣が折れてしまった

ぱっ

!!

これじゃあ
続きはできないねぇ
試合は引き分けか
さんぜーん
引き分けだと!?
ふーん
シエルの執事もなかなかやるな
アグニは俺の城で一番の戦士だぞ
アグニと互角に戦えた奴は初めてだ!
相手はセバスチャンだぞ!?
あの男…
悪魔と互角にやりあった!

気に入った！
シエルの執事よ
お前の腕に免じて
今日は勘弁してやる
光栄に
存じます
セバスチャン殿
お手合わせ
ありがとうございました
こちらこそ
アグニさんは本当に
飲み込みが早い
初心者でなければ
わかりませんでしたよ
いや
そんな！
……
シエル様
先程は申し訳
ございませんでした
まだ痛みますか？
い…いや…

ホッ
よかった！
この男…
もしかして…

セバスチャン

あの男…
一体何者だ？

まさかまた…
ああいう…
実は
死神
DEATH！

いえ あの方は
人間ですよ
クス

そうか…
ホッ
私達が持ちえぬ力を持った…
ね
がっし！
おいシエル！俺達ももう一試合だ！
うっ!?
そう…ただの人間です
…ただ
今度は負けんぞー!!
だから僕は忙しいと何度言えば…
よーっし
あのインド人に負けてらんねぇ！
今日は俺が腕によりをかけて…
結構です
ぱっ
私が準備しますので貴方は大人しくしていて下さい

結局30分も予定を押してしまった…
くそーっ もう一回だッ
オイなんだよー
今日はなぁ
オレ様のスペシャル料理を
おい聞いて
んの
ギャーー
ギャー
セバスチャン聞いてんのか!?
あーもいいから少し静かにしていて下さ…
セバスチャン殿
よろしいですか?
何かお手伝いすることがあればと思いまして…
アグニさん
くつろいでいて下さって結構ですよ?
一人より二人の方がずっと早いですよ!
なんでもお申しつけください

では…
今晩の魚にかけるグーズベリーソースとコテージパイの準備をお願いできますか？
んがっ
はい！

レシピはここにありますので
ガタ
私が作ったものですが
コテージパイに使う肉は鶏のひき肉に変えましょう
↓地域によります
豚、牛は×
Cottage Pie
How to cook
お気づかい恐れ入ります

バルドは邪魔ですからどいていて下さい
ジャマです。
オイッ
なんであいつには仕事まかせるのにオレは邪魔なんだよ!?
チッ

忙しい
忙しい

…フ
…理長
料理長殿！

――んあ？

シェ…
料理長!!
オレのことか!?
がばっ!!
はい！
シェフ!!

料理長 料理長 料理長…
エコー
私はイギリスの料理に不慣れです
お手伝いして頂けますか？

お…
おうよっ!!
まかしとけっ
なんたって料理長だからな！
良かった!!
では玉葱をみじん切りにして頂けますか？
皮むき済

朝メシ前だぜ!!

まかしとけっての!!

たのもしい!!

なんたってオレは料理長だからな!!

ガチャ

いいにお〜〜〜い

ーっおおおおおおお

ビダダダダダダ

結構力がいって骨の折れる作業なんです
頼めますか？
力がいる？
たくさんあるのです
それなら僕にもできるかも！
やりたい！やらせてください！
頼みましたよ
はーいっ!!!
あ あれ？
セバスチャンさんは…
セバスチャン殿は奥の厨房で調理されてますよ
じゃあワタシは食器の準備をするですだ！
おやもう食器が…
ありがとうございます
メイリン…

食器室
えーと大皿とサラダ皿と…
ぐらっ
あわわっ
ぎゃ…
がっ
危ない!!
お怪我はありませんか女中殿
すとん!!
は…
はいですだ
さわやか～
女性に大きい皿は重いでしょう
高い所の皿を降ろす時は一枚ずつの方が安全ですよ
落としては怪我をしては大変ですから
は…
…はい…ですだ…
ぽっ
どうですかアグニさん
出来そうですか?

わい！
はい！
なんとか大丈夫です
わい
あっ
セバスチャンさーん!!
見てください パイのお芋
僕が潰したんですよ!!
ほっほっほっ
わい
オレなんかなー
玉葱のみじん切りして
今はつけあわせ作ってん
だぜ！
温野菜
えっへん！
なんつっても料理長だからな！
ーぱっ
みがいておきましただ
食器も準備ができてるですだ！
みなさんのおかげで
とっても美味しく
できそうです
えっへん！
びっくり
ほっほっ

？
セバスチャン殿？
いえ…あの方達を手伝わせる事ができるなんて凄いですよ
よーし じゃあパイを盛ろう!!
パイ皿は二番目だよ
みなさんとてもよく働いてくれる良い人達です！
まぁ悪い人じゃありませんが…
人にはそれぞれ生まれ持った才能があります
神が示してくださった道と使命があるのです
何というか…
アグニさんは本当に出来た方ですね
こんな人間本当にいるんですね
我ら人間はそれに従って自然にゆっくりと
出来ることをしていけば良いのです
……
とんでもない!!

…私は王子に出会う前は
とんでもない愚か者
だったのです

一生かかっても
返しきれない
ご恩です…

私の一族は司祭階級という
神に仕えることができる
最上級カーストでした

司祭
王族・武士
平民
奴隷

ですが…

司祭とは名ばかりの
欲と俗物にまみれた
父の姿を見て育った私は
とても神を信仰する気に
なれなかったのです

※カースト…ヒンドゥー教にまつわる4段階の身分制度。1950年に全面禁止される

人を傷付け
神を冒瀆し続け

罪を重ね続けた私に…

とうとうその罪を裁かれる日が訪れたのです――
司祭の息子アルシャドの死刑を執行する

この世にさした未練もなく
神すら信じていなかった私に

ザワ…
全てを棄てた私に――
おいお前

ザッ
お前猛獣のように強い
暴れ者なんだってな
ザワ…
王子！
何をなさいます！
おもしろい
お前今日から
俺の稽古相手になれ
タ～ンッ
なりません
王子
その者は
これから
絞首刑に…
あー
うるさいっ
ザリ
ならばこうしよう
ッ
これで今日までの
お前は死んだ
バサー
新しい名と
生を以て
転生するのだ

俺は国王が第26子ソーマ・アスマン・カダール
今日からお前の主だ
神が現れたのです
いいなアグニ！
そして気づかせてくれたのです
神はこの御方の中におわすのだと――

かのラーマクリシュナのように!!
その日確かに私は王子の中に至高の光を持つ神の姿を見たのです!!
はうあ〜く!!
アグニさん鍋ふいてますよ
しゅー
しゅー

きゃっ
きゃっ
盛りすぎだそりゃ
できたら分けたよう!
いーぞだー
それ以来私は王子にお仕えしています
神…
うっすみません
王子は私の王であり神なのです

ですから私は新しい命を与えてくださった王子を命に代えてもお守りし
できうる限り王子の望みを叶えて差し上げたいのです

まァ実際の神なんて結構ロクデナシばかりですけどね
ボソ
え?今何か
?
いえ何でも

何で今…？
──で結局
お前の捜している
女は何者だ？
本日の夕食
サバのグーズベリーソースがけと
コテージパイ
俺が生まれた時から
俺の侍女だった女で
まぁ乳母みたいなモンだ
物心ついた頃から
ずっと一緒だった
親父様は俺なんか
興味ないし
がふ
がふ
母上は親父様の
気を引くのに必死で
俺には見向きもしない
宮殿に
いつも独りで…

でもミーナは
いつも俺の傍に
いてくれた
明るくて美人で
姉のようになんでも
教えてくれた

ミーナさえいれば
俺は寂しくなかった
俺はミーナを愛して
ミーナも俺を愛して
くれた

ぐっ…
だけど…
あいつが…

英国貴族が来て
ミーナを
英国へ
連れ去った!
ド
ンッ

どういう
ことだい?

ベンガル藩王国はインド皇帝であるヴィクトリア女王に内政権を認められてはいるが
実際は英国から派遣されてくる政治顧問がほとんど牛耳ってる
実体は植民地と大差ない

そして3か月ほど前にその政治顧問の客としてそいつはやって来た！

そいつは俺の城でミーナを目にとめ…
俺が街を視察に行っている間に
ミーナを無理矢理英国に連れ去ったんだ‼

つまり英国には女を連れ戻しに来たという訳か
そうだ！
絶対に取り戻して一緒に帰る

それにしても使用人の女ひとつで大ゲサな…
大ゲサじゃないッ
たっ
が
ミーナのいない城なんか中身のない箱と一緒だ!!
お前にミーナと引き離された俺の絶望がわかるのか!?
が!!
俺がどんなにっ
わからんな
…ッ
その程度のことで感じることができるたかが・し・れ・た絶望など
僕は理解できないしする気もない

どんなに足掻いても
取り戻せない
ものもある
ぱし
抜け出せない
絶望もある
お前には
理解できないかも
しれんがな
ぎゅ
でも…
それでも
俺は…
もう嫌だ
あの宮殿で
独りになるのは…
バタン

……
ぎゅっ…
どんなに足掻いても
取り戻せない──
パチ…
パチ…
ポンッ
シュ───……

チェスはどうせルールを知らないだろうからな
ガタン
お前でもババ抜きのルールくらい知ってるな？
え…
パチパチ…
今日の予定は終わった
…寝るまでなら相手してやる
パチ…パチッ
シエル…
別にお前のためじゃない
僕がヒマだから付き合ってやるって言ってるんだ

きっぱり

あ 悪いが夜は予定がある お前と違って俺は忙しいんでな!

ひょっ
あ
いたいたー
伯爵あのさー
ゴゴゴゴゴ
ん？
ギン
あ？
ぐしゃっ
あれー
どしたのー
伯爵？
のこのこ
ご機嫌ナナメかなー？
うるさいっ
スタスタ
ついてくるな!!

黒執事
クロシツジ

第18話
At night：その執事、尾行

Kuroshitsuji

シュー
パラ…
THE
THE TIMES
カチャ
カチャ
カチャ
失礼します…
おや
ガラガラ
TIMES
珍しく早くお目覚めですね

怪事件またしても!

ピカデリーサーカスのコーヒーハウス襲撃される!

ANOTHER
MYSTERIOU
ATTACK

A Coffeehouse in Piccadilly
Circus severely damage

——ま
伯爵ったらモテモテだから
ぶっちゃけ最初からすごい怪しいよねあの二人組

それはそうなんだが
ロンドンに来ると毎日コレだ…
招待状
奴らに事件を起こすメリットが見あたらん
INVITA
パサ

植民地支配による怨恨の線はあの様子からして薄いだろう
ばふん
たとえインド帰りの英国人が気に入らないとしても無差別に襲うのはリスクが高すぎる

大体もし犯人ならあんなにあからさまに僕の前から出かけていくか？
疑ってくれと言ってるようなものじゃないか
それに
思い出しても腹の立つ！
じゃさー

手っ取り早く
夜ついてっちゃえば
いいじゃない

ネッ

とっぷり…

じゃあ俺達は
出かけるからな

さっさと寝ろよ
チビシエル！

バタン

ムカッ

PUB

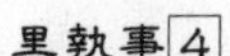

そろそろ屋敷に戻りそうですね

私達も戻りましょう

午前2時45分
やはり動きましたね

坊ちゃん
動きました

よし
後を
待て
!

お前…!
俺も連れて行ってくれ

アグニがたまに俺が寝た後出て行くのは知ってた
あいつが何をしているのか…
知りたいんだ

そういうことか
裏が見えてきたぞ

どういうことだ?
ぽむ
誰の家なんだ
ここは
まあまあ
王子様
慌てない
慌てない

行けば解るさ
そして
嫌でも真実を
知ることになる
君も

我も…ね

"我も"ってことは
お前も何も
知らないんだな?
うん☆
ここ誰んち?

ここは輸入品を
手広く扱ってる
ハロルド・ウエスト=ジェブ
の屋敷だ
表の仕事で
一度会ったことが
あるが
肩書き主義で
いけ好かない
男だ

「ハロルド・トレーディング」という雑貨店と

「ハロルド・ウエスト」というヒンドスターニー・コーヒーハウスを経営している

主にインドから香辛料や紅茶葉を輸入していて

輸入品かぁ 我とは同業者だね

何故アグニがそんな奴の家に？

？

ウエスト様はミーナ様の件で調べていた資料にお名前がありました

資料によるとたしか輸入はベンガル地方からがメインで

例の逆さ吊り事件の被害にもあっています…が

代表者のウエスト様はたまたま不在だった為被害を免がれていたそうです

ガサッ

!!

グルルル…

バ
シエル!!
!!
ザン!!
ドカ
きゅん
きゃーーん
ズリ
ズリ
なんだ?
犬が退いていく…?
クス
ウエスト様は臆病な番犬を飼っておいでですね
……
おーい伯爵ー

こっちこっち
シャラン
シャラン

……。
引。
お前…
嫌だなー
殺してないって
眠らせただけだよ
中国四千年の
技ってヤツ？
ひら
ひら

まあいい
さっさと
あいつを
捜すぞ
ゴホンッ

中に警備員は
いないようだな
ヒソ
ヒソ

2階から声が
聞こえます
行ってみましょう

本当に良くやってくれた
そんな思いつめた顔をするな
シガーでも吸ってリラックスしたらどうだ？
英国王室御用達のジェイムス・フォックスで買った上等のハバナ・シガーだぞ
………
まあいいさ
ここまでの計画は完璧だ
あとは1週間後全てが決まる

そしてこの
〝神の右手〟さえあれば
俺の計画は完遂
される！

ばっ
ミーナだと⁉
!!?
バン
馬っ…
ムッ
坊ちゃんと私は
顔が割れて
います
様子を
見ましょう
お王子
お前
どういうことだ
ミーナが
どこにいるか
知ってたのか⁉
ああ…
それがお前の
ご主人様か
アグニ
ピクッ

お前が
ミーナを連れて行った奴だな

アグニ!
こいつを倒せ!!

フッ

アグニ
そのうるさい王子様をつまみ出せ

なっ…

俺の言うことが聞けないのか？

…何か揉め始めてしまいましたね
ハアアアア
……

さっきの話の内容からして逆さ吊り事件にウエストが絡んでいるのは間違いないが…
どうも〝裏社会の事件〟ではなさそうだ

ということは今回は伯爵の管轄外だね
表社会の事件だし
…だな
でも市警に知らせるのも面倒だしここでボコって帰っちゃわない？

それもいいが僕に少し考えがあるもう少しウエストを泳がせよう
今回はあの王子を連れて引き上げるぞ

でも君達は面が割れてるんだよね？
ああ
おまかせ下さい

私に良い案がございます
アグニ　どういうことだ!
説明しろッ!
お…
お話しすることは何もありません
どうぞお引き取りください
な…
何言っ…
いい子だ
…ッ貴様!!
何をした!?
ガッ

おやめください！

離せアグニ！
何故こんな奴の
言うことを聞く!?

ったく…
ギヴス&ホークスの
スーツがシワに
なっただろうが！

アグニ！

離せッ

言ってもわからん奴には
少し痛い目をみせないと
いけないな

アグニ

その王子様を
殴って黙らせろ

!!?

ははっ
なんだよ
何も殺せとは
言ってない
ちょっとばかし
痛めつけて黙らせれば
いいって言ってんだ
優しいだろ？
アグニ…
アグニ！
ぎゅっ

鹿？

鹿の剥製を被ってくなんてナイスアイディアだよね執事君
何者だ!!お前!!
どこがだ
おぅ
王子はともかくコイツは敵のスパイかもしれん!
アグニ
いえ 私はあくまで鹿で
殺せ!!
殺…そんなことがっ
うるさいッ
あの約束がパアになっていいのか!?
この俺の命令だぞ
殺れ!!
俺は…
ギリッ
俺はっ…
ギリギリ
ポッ
ポタッ…

我が神は…
我が主は唯一人と
がくんっ…
この右手は神のため
だけに振るうと
決めていました
ポタ
ポタ
その神を
裏切る罪…
ギリッ
アグニ…
まさかッ…
お許しくださいッ
グッ
おおおお
ズギャ
ブチ

ドッ
ぎゃあああああ
ジェネラル・トレーディングで
買ったチェストがあああ
きゃあああ
ガラ
ガラ…
ザッ
やめろッ
それはトーマス・グッジで
買った一点モノのガレイのランプ
ウースターの
食器があー
ガシャーン
ロックの帽子
があああ
ザッ

なんかヤバそうだね
先に脱出しよう
伯爵
ひょいっ
うわっ
っ…
おい！
この騒ぎじゃ
人目につく
お前もそいつを
連れて脱出しろ
御意
……

すごかったね
さっきの彼
人間の範疇を
超えてるよ
あれは
〝精神集中〟だ
サマーディ？
ああなると
誰も手が
つけられん
宗教的な
ものですね
一種のトランス状態の
事でしょう
人間という生物は
強烈な信仰という盲信によって
強大な力を生み出す事の
できる稀な生き物です
かつてのヴァイキングは
軍神の名のもと
狂戦士となり
十字軍の聖騎士は
神の名のもと
侵略という名の戦いを
繰り返した

彼もまた
その一人
ソーマ様という〝神〟への
絶対的な信仰によって
人間には持ち得ない程の
力を生み出している
私達には持ち得ない
誰かを信じ
愛する事で生まれる
〝信仰〟という力
ならば何故…
ボソ…
俺を裏切る?
何故俺を
勝手に置いて
いく!?
シャアン

っお前…
どうして!!
ガシャン
どうして俺の周りの人間ばかりいなくなる!?
何故だっ
なんで…
ハァッ
ハァ
ガタッ
嗚呼…
お二人共大丈夫ですか?
避けたから大丈夫だよ
せっかく坊ちゃんにお似合いだと思って取り寄せたアヴィランドのティーセットが…

彼は
少し躾直して差し上げた方が良い様ですね
カチャ…
ヤッ
貴様ッ
カッ
誰が入っていいと許し
ばさぁっ
どすっ
つだっ!!?

無礼もの

無礼者はどちらです

!?

全く好き勝手散らかして下さって…

いい迷惑です

なっ…

むかっ

ここは英国でファントムハイヴ伯爵のお屋敷です

貴方の国でも城でもない

ここでは貴方は私に何一つ命令する権利を持たない

ただの餓鬼でしかない

アグニさんが
居なければ
何も出来ない
無力な子供
その頼みの綱の
アグニさんにも
裏切られて
しまいましたけどね
そうだ…
俺にはもう
何もない
みんな失って
しまった…
クス
失う？
呆れた被害妄想
ですね
貴方は
失ったんじゃない
最初から
何も持っていない
じゃないですか
え…？

親から与えられた地位
親から与えられた城
親から与えられた使用人
初めから
貴方のものなど
何一つありはしない
そうでしょう？
アグニさんの事も
本当は薄々感づいて
いたんでしょう？
けれど一人で
確かめる勇気も
なかった
ち…
違うッ

違わないでしょう？

いざ事実を突きつけられたら
今度は悲劇の主人公
気取りですか？

見返り無しに
誰かに仕えたり
するはずがない
スラム街でなら
3才児でも
知ってますよ
誰も貴方を
愛してた訳じゃない
俺…
俺はっ…
そのへんに
してやれ
坊ちゃん
僕だってそいつと
同じだったかも
しれない

――あの
1か月がなければ――

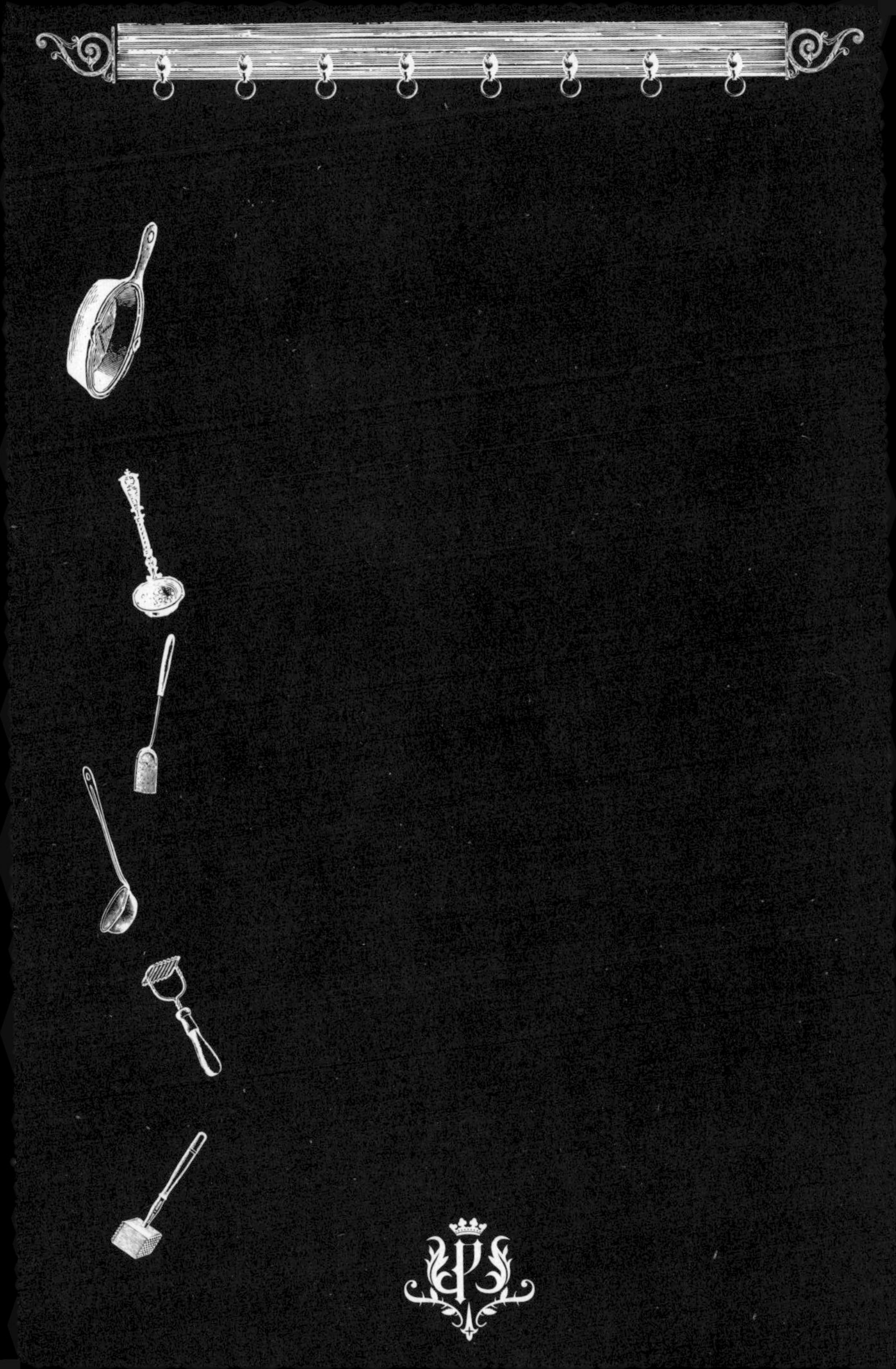

黒執事
クロシツジ

第19話

At midnight：その執事、異能

誰かっ
ガチャ…
ねえっ
ガチャッ
いないの!?
ガルルルル…
ギャウワッ
ハッ
ハァッ
ハァ
ハァ

セバスチャン…？

ぬるっ

タナカッ
助けて
こちらに来ては
いけません
お逃げください
シエル様は…
ぐ
あなた様には
酷すぎ…ッ
ら
タナ…

こいつは頂いていくか
いい金になる

おお…
これは！

珍しい
でしょ？

本当モノズキってのは
いるもんだぜ

お前には
崇高なる獣の印を
あげようね

あ゛あ゛あああ
だして だして ここからだして
いたい きたない かえりたい
ほら 可愛(かわい)くなったよ

おとうさま　おかあさま　かみさま　どうか
さあ今宵も崇高なる集会を始めようじゃないか
なぜ
どうしてぼくたちが

いつらをこいつらをこいつらを

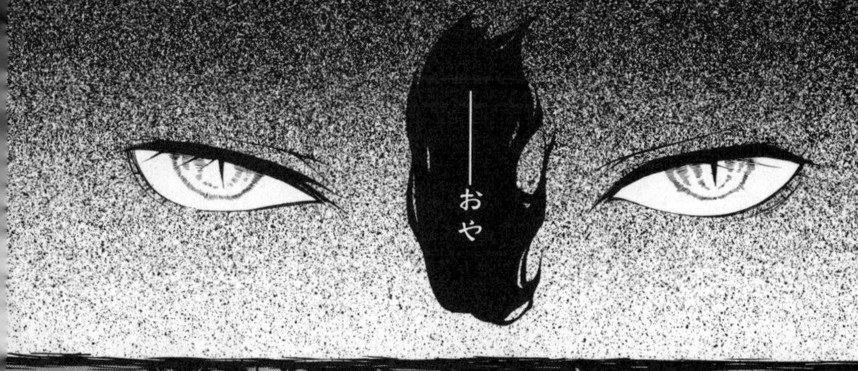

これはこれは

随分と小さなご主人様だ

貴方は私を召喚してしまった

その事実は永遠に変わらず

払われた犠牲は二度と戻らない

命令だ!!

殺せ！

…僕は
家族を殺され家を焼かれ
家畜にも劣る屈辱を味わわされた
僕は無力で
子供だった

僕は待ってる
そいつらが僕を殺しに此処へやって来るのを
なんで…そこまで…

たとえ
地獄のような場所で
絶望の淵に立たされた
としても

そこから這い上がれる
蜘蛛の糸があるのなら
諦めずにそれを摑む

僕らはその強さを持ってる

摑むか摑まないかは本人次第だがな

下らん話は終わりだ
セバスチャンウエストの件で話がある
来い
は

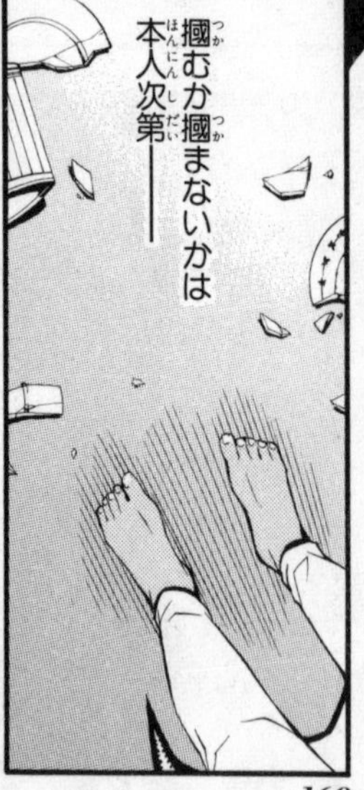
摑むか摑まないかは本人次第——

シエル!
俺はっ…恥ずかしい

俺は17にもなるのに
お前よりずっと
馬鹿で世間知らずだ

だけど今は知りたい

二人に直接会って
俺の傍から離れた
理由を確かめたい

だから頼む！

俺も
一緒に

ばっ

断る。

さ

り。

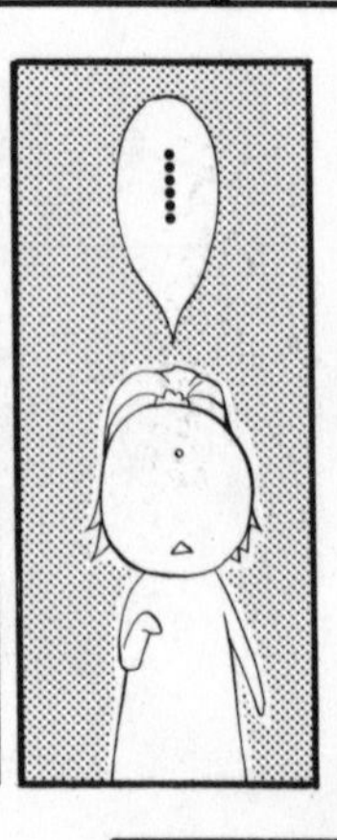

お前のような世間知らずのお守はごめんだ

…。

じゃーな

…まぁ

談話室のドアには最初から鍵は付いてないがな

やっぱ言うんじゃなかった
そうだ
シエル
さっきは八つ当たりして
カップを割って
すまなかった
許してくれ
それから
すすす…
お…
お前も…
すまなかった…
おもしろいですね
いえ…
——さて
王子様に
中断されちゃった
話の続きをしようじゃ
ないか

まず例の事件はウエストがアグニにやらせていると見て間違いないだろう

あいつの身体能力からして一人で事件を起こすのはなんてことない

ウエストの話に出てきたのは

・・・・。

〝3年がかりの計画〟〝計画の完遂は1週間後〟〝アグニの右手が不可欠〟

ということだ

ここで一番重要なファクターは「1週間後」という日程だが

彼の〝神の右手〟を使うんなら何か大きなイベントでも襲っちゃうとか?

女王の即位50周年も去年終わっちゃったしねぇ

まあ 冬だし大きい催し物なんかは終わってるよね

セバスチャン

ロンドン市内で1週間後にある催し物は?

1週間後ですか
ふむ
坊ちゃん宛ての招待状では…
ウエストミンスター寺院で聖ソフィア学院主催の聖歌隊コンサート
コヴェント・ガーデン歌劇場でワーグナーの上演
クリスタルパレスで帝国におけるインド文化とその繁栄展
大英博物館で世界の通貨博覧会
…インド?
坊ちゃんご自分に送られたお手紙はどんな内容でもきちんとお読みになるのが紳士というものですよ
うるさいいいから早く詳細を話せ
来週クリスタルパレスで行われる「帝国におけるインド文化とその繁栄展」は植民地における英国の功績や産業についての展示をメインとした展覧会です
催し物の一環としてカリーの品評会が行われる予定です
坊ちゃんはその品評会の特別審査員として招待状が来ておりました

※ヴィクトリア女王はカレーのためにインド人コックを二人も召し抱えていた。

まぁ落ち着きなよ王子様
今 順序立てて説明するからさ
イラッ…

伯爵が！
オッ
お前また
知ったかぶってたな？

ゴホン
ウエストが経営する
ヒンドスターニー・
コーヒーハウスの
メインと言えば
カリーだ

つまりウエストは
〝カリー〟で
〝ロイヤルワラント〟を
獲ろうとしてるんだ
ああ
成程！

ろいやる
わらんと？
なんだそれは？
あ そっか
王子様は
知らないよね

英国には
面白い制度があってね
王族が気に入ったお店に
「お墨付き」の称号を
与えることが出来るんだよ
それが
〝英国王室御用達〟
で
それが貰えた店は
看板にその称号を掲げる
ことができるってワケ
BDIEU
ONDROIT

?
英国王室御用達は
品質保証と同義語
なんだよ

店が英国王室御用達の
称号を得ることによって
売り上げは確実に伸びる
うちもそろそろ
製菓と玩具で
申請しようかと
思っていたところだ

店によっては
売り上げが3倍に
なる場合も
あるようです
特にヴィクトリア女王は
ファッションから料理に至るまで
流行を発信している御方
ですからね

ハァ…
カリーも一時期と違って
ブームも下火だし
是が非でも称号が
欲しいんだろう

ウエストがその
〝ろいやるわらんと〟とやらが
欲しいのはわかった
だがそれと
今回の事件が
何故つながるんだ？

英国王室御用達を得るには二つの条件があります
一つ目は〝品評会で品質を認められる事〟
そして二つ目は
〝3年間の王室への無償奉仕〟
つまり3年間王室へ輸入品の無償奉仕を続けてきたウエストは
1週間後の品評会に出場するライバルを潰そうとあの事件を起こしたって訳だ
関係ない軍人なんかが襲われた例は事件を英国に恨みを持つインド人の仕業に見せかけるためだな
多分アグニはミーナをダシにこの馬鹿げた計画の片棒を担がされているってコトだろう
自分の神のためにな
え?
スッ…
現場に残された貼り紙には偽装以外にも大きな意味があったんだ

worthless, culture on you To all the ind Land, You are vengeance of Now, the Day
ここにな
ランドル卿は英国を侮辱しているマークだと怒鳴り散らしていたが本当の意味は別にある
お前らが祈る・・・アレだろう？
あ…
お前らの神といえば
舌を出した姿のカーリー女神だ
そしてこれを描いたアグニの〝神〟といえば？

じゃあ我達は手を引くとしようか

この話を市警に持ってって後はまかせたら？

ま
待ってくれ！
それじゃあアグニは…ミーナはどうなる!?
さあ？

今回の事件は裏の住人に関係ないことがわかった訳だしな
こっちも慈善事業でやってる訳じゃない

つまり我がファントム社が出場してウエストに勝利すれば

英国王室御用達は我が社のものだ

※この条件は、一企業（店舗）として相当量の品物を納入したという納入実績のこと。今回のケースの場合ファントム社は製菓・玩具メーカーとしての納入実績がある。

製菓と玩具で御用達を得たら
食品事業にも手を広げようと
思っていたところだし
最初に品評会で御用達を頂けば
話題になるのは間違いない

確かに
ファントム社の
食品事業の旗揚げには
これ以上ない首級に
なりそうだね

でも今から
食品事業部を作るったって
1週間しかないんだよ？

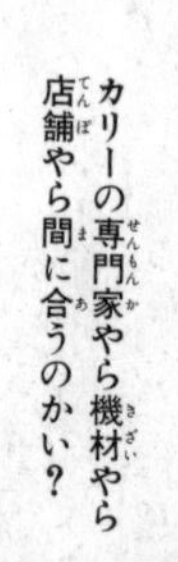
カリーの専門家やら機材やら
店舗やら間に合うのかい？

そんなもの必要ない

そうだろう？
セバスチャン
ファントムハイヴ家の執事たる者
それ位出来なくてどうします？
必ずや英国王室御用達を
それは無理だ！

ウエストにカリー勝負を挑むなんて

どうしてだい？

あっちにはアグニが

勝てる訳がない！

神の右手があるんだぞ

確かに"神の右手"の破壊力は驚異的だが今回は格闘技じゃない

料理勝負だ

だから言っている！今回はフェンシングのような格闘技じゃないんだ

料理勝負だぞ！

本当のカリーを知らない

本物のカリーは香辛料で決まる

何百という香辛料から選択する種類と調合する分量で味・辛さ・香り…全てが変わってくる

選択肢は無限大
最高のカリーを作ること
それは宇宙から真実を見つけ出す
ようなものだ

しかし
アグニの右手は
それができる

指先一つで
無数の香辛料の中から
最良の種類を
最適な分量で調合し

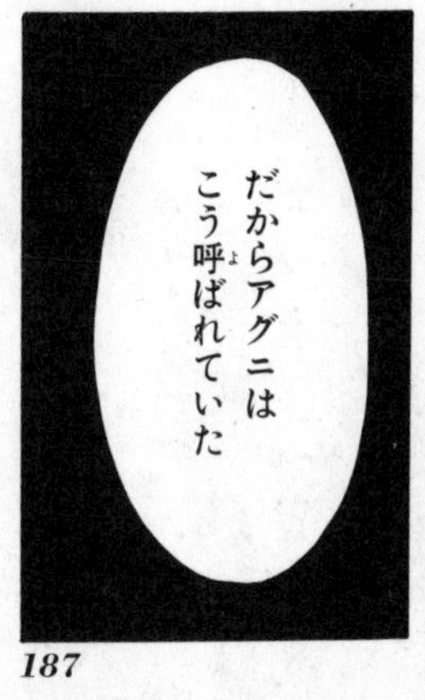

神(カーリー)の右手(みぎて)と！

俺はアグニのカリー以上に美味いカリーなんか食べたことがない
だからその右手は生涯俺に捧げるように言ったんだ
つまり〝神の右手〟は
神レベルの〝強さ〟じゃなくて神レベルの〝カリー上手〟ってこと？
だそうだが
セバスチャン？
クスッ
それはそれは…
手強そうですね
黒執事4　おわり

黒執事

Black Butler

Downstairs

Wakana Haduki

Akiyo Satorigi

SuKe

Bell

Yuri Kisaki

*

Takeshi Kuma

*

Yana Toboso

SpecialThanks

Yana's Mother

Mayu Miyamoto(Translation)

for You!

次巻
黒執事
VS
黄執事
華麗なる競演!!

宇宙の深淵に迷い込んだ悪魔に
真実の光は見出せるのか――!?
まずいッ!!
残念だが
このままでは奴らに
勝てない
黒執事
誘われた世界が
少年の穢れた過去を
かき乱す…
そこに
あの男…再び!!!!
そして
新章突入――
第5巻……9月発売予定!!

黒執事

クロシツジ

4

2008年6月27日　初版発行

著者
枢　やな

発行人
田口浩司

発行所
株式会社スクウェア・エニックス
〒151-8544　東京都渋谷区代々木3-22-7　新宿文化クイントビル3階
〈編集〉TEL 03（5333）0849　〈販売・営業〉TEL 03（5333）0832　FAX 03（5352）6464

印刷所
図書印刷株式会社

装幀
中川ユウキチ（KINEMA MOON Graphics）

初出／月刊Gファンタジー平成19年12月号～平成20年4月号

ISBN978-4-7575-2291-6 C9979

Printed in Japan